D0518635

1001 IDÉES POUR L'HEURE DU COUCHER

ISBN 2-203-14428-9

1001 IDÉES POUR L'HEURE DU COUCHER

Pascal Teulade : textes
Jean-Luc Englebert : illustrations

casterman

TABLE DES MATIÈRES

LE CHEMIN DU LIT

POUR ALLER SE COUCHER AVEC PLAISIR,
SANS DRAME, SANS HISTOIRE…
POUR QUE CE MOMENT PARFOIS DIFFICILE
SOIT UN MOMENT ATTENDU, UNE FÊTE !

LE petit POUCET

Dans la maison, disposez un chemin
de haricots secs parsemé d'objets.
L'enfant le suit et découvre
une brosse à dents, du dentifrice,
un petit cadeau, etc.
Bien sûr, ce chemin passe par
la salle de bain et les toilettes.
Enfin, l'enfant trouve un livre.
Il le ramasse ; c'est l'histoire du soir.

L'Ogre

Dites, l'air affamé :
– *Attention, petit enfant,*
c'est moi l'ogre gourmand
qui croque les enfants
qui ne veulent pas se coucher !
1, 2, 3, partez !
L'enfant court jusqu'au lit ;
l'ogre par contre
ne peut faire
que de grands pas.

RiEN ne VA PLUS

Un jeu pour rendre
le déshabillage plus
ludique, plus facile.
Changez un élément
dans votre tenue :
inversez vos chaussures,
rajoutez une boucle
d'oreille, etc., puis dites :
– *Rien ne va plus dans
ma tenue !*
Quand il a trouvé
le détail insolite, l'enfant
à son tour procède à
un changement.

Le ROI va se coucher

Pour les récalcitrants au coucher.
Les deux parents font une révérence
et déclarent :
– *Le roi (prénom de l'enfant) va se coucher.*
Alors les parents se donnent les mains en croisant
les bras pour réaliser une chaise à porteurs.
L'enfant s'assoit. Les parents le soulèvent et
le portent jusqu'à sa chambre... royale !

Au lit mon canard

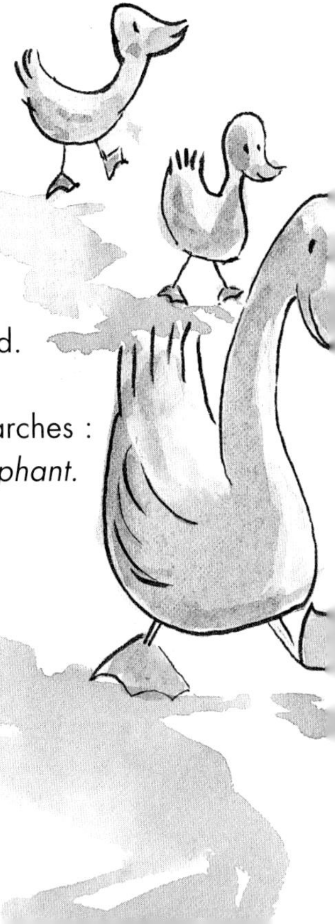

Chantonnez :

– Il est tard, mon canard tout fatigué !
Au lit vite vite, maman cane vient t'embrasser tout de suite !
Et l'enfant part en marchant comme un canard.

Vous pouvez bien sûr proposer d'autres démarches :
– Il faut dormir, maintenant, petit enfant d'éléphant.
L'enfant marche à grands pas.

Ou pour un endormissement plus calme :
– Au lit, les petites souris blanches
Demain, ce sera dimanche !
(ou un autre jour de la semaine)

LA BROUETTE

L'enfant se met à quatre pattes,
vous lui prenez les pieds et… en route !
– En route, brouette à mains
En route pour le jardin
Le jardin de la nuit
Roule, roule sans bruit !

Le fantôme

Posez un drap sur votre tête,
devant l'enfant afin de ne pas l'effrayer !
Puis emportez-le en lui racontant
une histoire de fantôme…
– *C'est moi, Toublanc*
Le fantôme de la nuit
Qui emporte les enfants
Dans leurs petits lits!
Une façon un peu agitée d'aller
se coucher, mais tellement
enthousiasmante !

Allez croco

Déroulez une ficelle
du salon au lit.
L'enfant marche dessus
en faisant attention
à ne pas tomber.

Crocodiles à bâbord
Crocodiles à tribord !
Si tu mets le pied dehors
Plouf ! t'es mort !

TCHOU TCH

TCHOU

Pour aller se coucher comme on va à la fête !
Donnez une clochette à votre conducteur
de train préféré.
Il la fait sonner en criant :
– *Tuuuut on part !*
Vous vous accrochez à son épaule,
et le train part ; il passe dans toutes
les pièces de la maison pour prendre
chaque membre de sa famille.
À chaque fois il fait sonner sa cloche en criant :
– *Tout le monde est monté ?*
– *Oui !*
Enfin, toute la famille bien accrochée
accompagne l'enfant dans sa chambre.
Là, l'enfant lance :
– *Tuuuut ! Tout le monde descend.*
On est arrivés !

Au garage !

Prenez un carton.
Dessinez des roues, puis percez le carton
et enfilez une cuillère en bois :
c'est le levier de vitesse.
Accrochez une ficelle et, éventuellement,
une lampe de poche,que l'enfant
allumera lorsque vous passerez
dans des couloirs trop sombres.
Au moment du coucher, chantonnez :
– *Au garage petite auto,*
il est temps de faire dodo !
L'enfant monte dans le véhicule,
il démarre
– *Vrroum...*
et vous le tirez jusqu'au lit.

Posez divers récipients sur le sol et collez-y des étiquettes numérotées de 1 à 9.
Jouez aux puces en essayant de faire sauter les pastilles dans les récipients.
La dixième épreuve ?
Que votre grande puce saute dans son lit et… y reste !

Mini GOLF

MINI LOUP

Dites à l'enfant
de se déshabiller,
puis de mettre
son pyjama en
chantant la chanson :
– *Prom'nons-nous*
dans les bois…
Il termine par :
J'ai mis mon pyjama
et je viens te manger !
Là, l'enfant loup sort
de sa chambre. Il vous
« croque » et, rassasié,
va enfin se reposer !

Tapis rouge

Déroulez un rouleau de papier hygiénique sur le sol et annoncez :

– *Le tapis de Monsieur (ou Madame) est avancé !*

Les plus grands essaieront de marcher sur le tapis en regardant un miroir tenu au-dessus de leur tête.

POSONS
LE DÉCOR

LA NUIT EST UN SPECTACLE
IMPRESSIONNANT, PARFOIS INQUIÉTANT.
AMÉNAGEONS LE DÉCOR
PUIS FRAPPONS LES TROIS COUPS !
CHUT...

BOÎTE
AUX LETTRES

Avec un carton de lessive
ou une boîte à chaussures,
fabriquez une boîte aux lettres.
Recouvrez-la de papier cadeau
et déposez-y des messages
de la petite souris, du père Noël,
du marchand de sable, etc. ou
des petits cadeaux.
Chaque soir avant de s'endormir,
l'enfant lira « son courrier »,
découvrira sa surprise.

Dès l'âge de deux ans, les petits
aiment aider à faire les lits,
le leur de préférence.
Ne les en privons pas.
Ils perçoivent ainsi l'attention
que l'on met à rendre accueillant
l'espace du sommeil.
– *Drap joli drap*
Ouvre tes grands bras…

Comme on fait son lit…

Doudou

Une chaussette fait un doudou adorable et lavable de surcroît. Il suffit de la bourrer de vieux tissus, d'accrocher un élastique pour la fermer puis de coudre deux yeux, ainsi que quelques bouts de laine pour les cheveux. Et voilà madame Chaussette prête à être baptisée !

LES POILUS

Faites des photocopies
noir et blanc, agrandies
de préférence,
de photos d'amis et
parents de l'enfant.
Puis proposez-lui
de dessiner dessus
moustaches, barbes,
lunettes, cheveux, etc.
Il pourra ainsi réaliser
sa galerie de portraits
rigolos, qu'il aura
un grand plaisir
à montrer.
Succès garanti.

Allô dodo

Réalisez un téléphone
avec deux pots de yaourt
et une longue ficelle.
Ce téléphone rudimentaire sera
utile pour s'informer de l'état de
la situation :

– Tu as mis ton pyjama ?
– Tu as fait pipi ?
– Tu as choisi ton livre ?
Alors j'arrive !

Découpez un anneau
en carton de manière
à ce que vous puissiez
l'appliquer autour
du cadran d'un réveil.
L'anneau sera muni de
petites oreilles,
et vous pourrez dessiner
des symboles aux endroits
correspondant à certaines
heures de la journée.
Un sympathique réveil
pour répondre à la
sempiternelle question :
– Il est l'heure de quoi ?

Réveil chouette

Bouée-oreiller

Prenez un traversin et cousez-en les deux bouts.
Voilà une bouée bien utile en cas de naufrage.
Amusez-vous à la secouer en chantant le refrain :

– Bateau sur l'eau
La rivière la rivière…
Bateau sur l'eau
La rivière et le canot
Le bateau a chaviré
Et les enfants sont tombés
Dans l'eau.
Plouf !

Punching Ballon

Le soir, après
une journée
en collectivité,
l'enfant a
parfois
besoin de
se défouler
quelques
minutes.
Solidement
accroché
au plafond,
un sac en
tissu garni
de vieux
habits,
fait office
de punching-
ball.

L'enfant raconte ses petits
et gros problèmes.
Vous les écrivez
en résumé et les
« enfournez »
au chaud dans
un tiroir de préférence
fermé à clé !
Quelques jours
plus tard, vous
en ressortez un pour
savoir s'il est réglé.
Dans ce cas, l'enfant
le froisse et le jette
à la poubelle.

Le tiroir À SOUCIS

MOBILES
DE TÊTES

Les mobiles concentrent l'attention des tout-petits.
Il suffit de prendre des baguettes de bois,
de la ficelle et des ballons de baudruche.
Gonflez ceux-ci et dessinez-y des visages stylisés
arborant différentes expressions. Vous pourrez
alors interroger l'enfant :
– Où est monsieur Triste,
monsieur Content, monsieur Colère, etc. ?

MESURONS-NOUS

Une toise simple à fabriquer : dessinez de petites cases sur toute la hauteur d'un panneau de bois ou de carton, afin de pouvoir y coller des photomatons de l'enfant à différents âges. Fixez-y une ficelle attachée à un crayon. Affichez cette toise évolutive et, certains soirs, mesurez votre enfant. Quel bonheur de voir que l'on grandit ! Marquez aussi la taille immuable de la poupée et celle peu changeante du chien.

Pêche à la ligne

Fabriquez une petite canne à pêche :
à l'extrémité d'un bâton, accrochez
une ficelle terminée par un crochet
réalisé avec un trombone remodelé.
Fabriquez ensuite des poissons en carton
munis aussi de trombones-crochets.
Jetez dans le lit ces poissons puis dites-leur :
– *Allez, poissons petits et grands, il faut sortir,*
Maintenant, c'est l'heure pour les enfants
de dormir.
Quand il a pêché tous les poissons,
que la place est libre, l'enfant se couche.
Plouf !

Jeu de loir

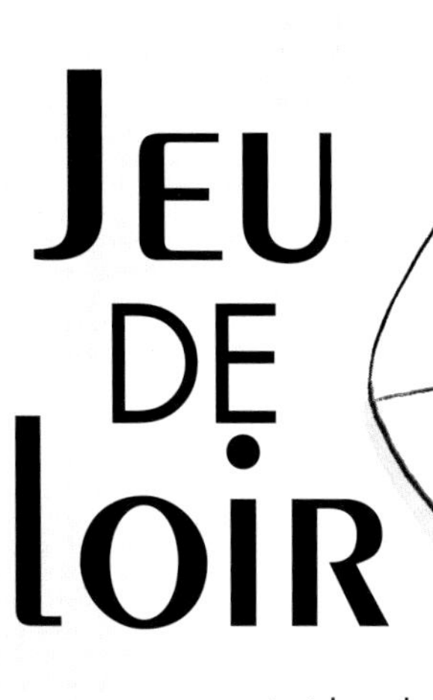

Sur un support rigide, dessinez un petit jeu de l'oie, jeu de « loir » proposant des activités amusantes à faire assis dans son lit.

1. – *Ferme un œil*
2. – *Suce ton pouce*
3. – *Croque ton pied*
4. – *Touche ton nez avec ta langue*

etc.

VITRAUX

XUARTIV

Pliez en quatre une feuille de papier
à dessin noir. Demandez à votre
enfant d'y découper des trous
afin de réaliser une dentelle.
Puis aidez-le à coller du papier vitrail
ou des emballages de bonbon
transparents dans les espaces vides.
Scotchez « l'œuvre » sur la fenêtre.

Taie d'amis

Demandez à chacun des parents ou des amis de l'enfant de faire un dessin ou d'écrire son nom, à l'encre indélébile, sur une même taie d'oreiller. Régulièrement, le soir l'enfant demandera de nommer les différents auteurs de l'œuvre.

AGENDA

Sur un tissu, dessinez un planning comprenant les jours de la semaine ainsi que les heures de chaque jour. Puis cousez à côté de chaque colonne de grandes bandes velcro. Dessinez ensuite sur de petits cartons des symboles : repas, sortie, piscine, etc. Collez au verso des ronds de velcro. Cousez sur un bord du tissu une pochette où vous mettrez les petits cartons.
Il suffira alors d'accrocher les étiquettes au bon endroit et de regarder chaque soir le programme de la journée suivante.
Bien sûr, prévoyez des étiquettes "anniversaire", "visite des grands-parents", etc.

Bout de chandelle

Une manière astucieuse de donner une limite au temps de l'histoire. Graduez une bougie puis annoncez avant de lire l'histoire :

– Quand la bougie arrivera ici, tu souffleras la flamme !

TRÉSORS

Les tout-petits adorent les tiroirs.
Confectionnez une jolie commode
en collant un grand nombre de boîtes
d'allumettes les unes sur les autres.
Décorez l'ensemble au moyen d'un
papier cadeau.
Voici une vraie boîte à trésors
pour cacher dents, bijoux ou autres
babioles de la plus haute importance !

LA MAISON À HISTOIRES

LE LIVRE, L'HISTOIRE DU SOIR EST UN ÉLÉMENT
INCONTOURNABLE DU COUCHER.
LES PLUS BEAUX LIVRES SONT SOUVENT CEUX
QUE L'ON FAIT SOI-MÊME.
ET CE N'EST PAS SI COMPLIQUÉ !
DU SCOTCH, DES CISEAUX, QUELQUES
CRAYONS ET LE TOUR EST JOUÉ !

La maison à histoires

Dessinez une maison sur une feuille de carton.
Dans chaque fenêtre, dessinez des personnages clés d'histoires traditionnelles ou des animaux.
Collez sur la maison un autre carton avec des volets et une porte à ouvrir.
Le soir, l'enfant ouvre une fenêtre et le personnage – vous bien sûr ! – habitant l'appartement lui raconte son histoire. Par exemple :
– *Je suis (le renard) et voilà ce qui m'est arrivé...*
Quand l'histoire est terminée, l'enfant dit :
– *Bonne nuit,*
(Renard) mon ami !
et referme la fenêtre.

MES. amis

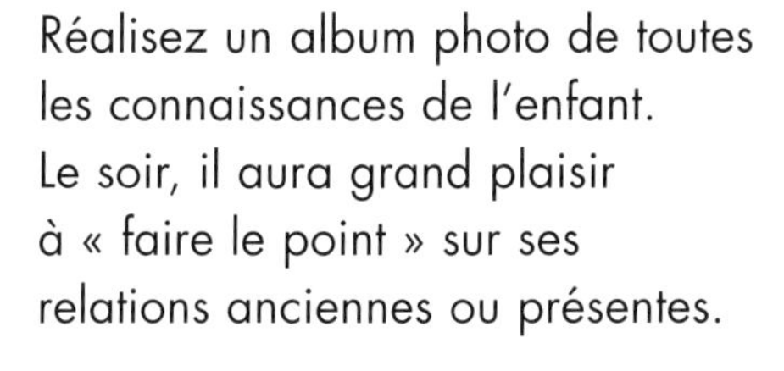

Réalisez un album photo de toutes les connaissances de l'enfant. Le soir, il aura grand plaisir à « faire le point » sur ses relations anciennes ou présentes.

CHAUSSETTE balle

Mettez une balle
douce au fond
d'une chaussette
et envoyez-la à l'enfant
en disant une syllabe.
L'enfant la rattrape sans se lever
de son lit en essayant
de terminer le mot.
À son tour, il lance
la balle.

La diseuse de bonne aventure

Dans des magazines, cherchez avec votre enfant une trentaine d'images qui lui plaisent et collez-les sur des cartes bristol.
Le jeu est prêt.
Le soir, l'enfant tire quatre cartes : ce seront les éléments principaux de l'histoire que vous lui raconterez.
N'hésitez pas, si l'histoire « patine », à lui faire tirer une nouvelle carte.

Dessinez sur des petits cartons des yeux, sur d'autres des nez, sur d'autres enfin des bouches puis mettez les cartons dans trois récipients.
Demandez :
– *Qui vient nous dire bonsoir ?*
L'enfant pioche un élément dans chaque récipient et accroche sur une feuille chaque partie avec de la pâte à coller repositionnable.
Quand le bonhomme est terminé, l'enfant lui donne un nom, l'affiche et lui souhaite le bonsoir.

BONHOMME

CARTES POSTALES

Réalisez un livre en reliant toutes les cartes postales que l'enfant a reçues.
Il suffit de poinçonner chaque carte au même endroit et de les relier avec un cordon ou un ruban.
Une bonne occasion pour parler des gens que le petit aime, ainsi que pour se remémorer des souvenirs.

LE MOT caché

Racontez une histoire en remplaçant un mot facile par « dodo ». À l'enfant de retrouver le mot caché.

Histoire de MOI

Collez dans un cahier
des photos de l'enfant
à différents âges.
Indiquez ses premiers mots.
Quel plaisir d'entendre
sa propre histoire !
Une manière aussi
de parler du temps
qui passe.

Ainsi font

Les marionnettes à doigts sont de parfaits outils pour raconter des histoires intimes et secrètes à mots tout doux.

- Réalisez des petits cylindres en carton parés d'oreilles ou de cheveux de laine. Dessinez-y des visages tout simples.
- Fabriquez des cônes. Dessinez yeux et oreilles puis faites un trou pour la trompe de l'éléphant ou deux trous pour les pattes de l'oiseau.

FONT

FONT...

BRUITAGES

Vous convenez avec l'enfant
de quelques bruits
(par exemple le galop du cheval,
un Indien, le vent, un chat, etc.)
Vous racontez une histoire :
à chaque fois qu'y intervient
un de ces éléments,
l'enfant doit le bruiter.
L'idéal est bien sûr que le dernier
personnage soit un dormeur. ZZZh

MESSIEURS SACS

Les petits sacs en papier (médicaments ou bonbons) dessinés font de très jolies marionnettes.

SANS T

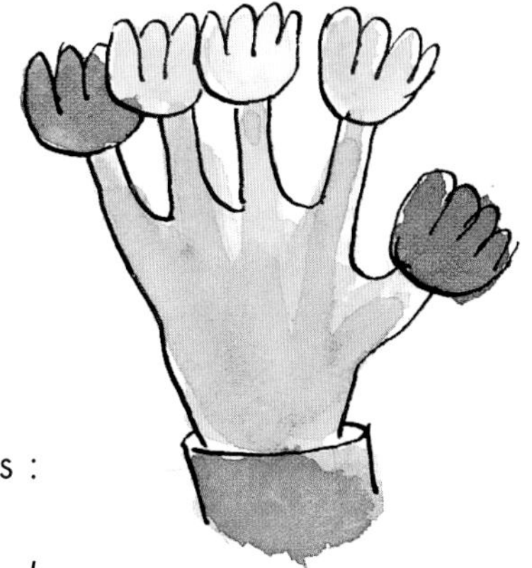

Écartez les doigts d'une main et dites :
– *Sentez ma fleur !*
Comment s'appelle ma fleur ? Sentez !
Et l'enfant doit proposer des noms de fleurs
ne comportant pas la lettre T.
À chaque mauvaise réponse, vous repliez un doigt.
Au bout de cinq mauvaises réponses, dites :
– *Ma fleur sans T*
est toute fanée…
On va tout recommencer !

Une histoire à raconter avec cinq doigts et un élastique :

– *Papa pouce et son garçon font de la gymnastique*
« Oh hisse, oh hisse ! »
(l'élastique fait le tour du pouce et de l'auriculaire, à « oh hisse » il s'étire puis revient)
– *Son deuxième garçon demande :*
« Je peux jouer avec vous ? »
– *Entre, mon garçon…*
Ainsi le majeur entre dans l'élastique…
puis les doigts suivants.
– *Enfin, papa dit :*
On a assez joué,
il faut aller se coucher…
– *D'accord, dit le premier garçon,*
d'accord, dit le deuxième…
Et chaque doigt se replie, sortant ainsi de l'élastique.
– *Alors le papa dit :*
Moi aussi, je vais aller au lit !
Quand les 4 doigts sont repliés,
le papa pouce va se coucher… dans la bouche !

LUMIÈRES, BRUITS, ODEURS...

LE JOUR BAISSE, LES BRUITS DIMINUENT.
VOICI L'OCCASION RÊVÉE D'EXERCER SES SENS,
D'APPRIVOISER L'OBSCURITÉ, DE DÉCOUVRIR L'OMBRE,
DE HUMER LES ODEURS FAMILIÈRES, D'ÉCOUTER
LES MILLE PETITS BRUITS RASSURANTS DE LA MAISON.

Odeurs

Frottez quelques produits odorants (fruits, parfum, etc.)
sur des feuilles de papier buvard.
L'enfant devra reconnaître les odeurs
et dire laquelle il apprécie plus particulièrement.

Bandez les yeux de l'enfant puis prenez
un crayon et un papier et dites :
– *Nous allons dessiner monsieur Cauchemar.*
Sur ses indications – plus haut,
à droite, etc. –, vous réalisez le dessin.
Quand l'enfant aura vu votre œuvre,
il n'hésitera pas à son tour à dessiner
« son » monsieur Cauchemar.

Drôles de têtes

LES affreux

Les enfants adorent jouer avec les torches électriques. Montrez-lui comment on peut se faire des têtes effrayantes en positionnant la torche de différentes manières : sous le menton, dans la bouche, dans les cheveux, etc.

Mettez un réveil dans un coin
de son lit ou de sa chambre
et déclarez :
– *Tic tac...*
Attention, la bombe
va éclater...
tic tac... Boum !
L'enfant se dirige au tic tac
du réveil.
À vous de créer le suspense,
avant que la bombe n'explose !

BOUM

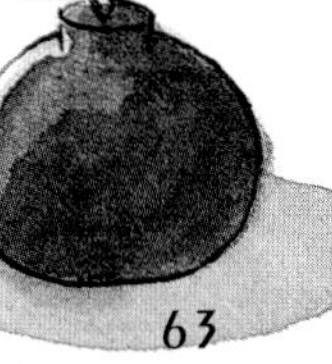

CAUCHEMARS

Faites l'obscurité la plus complète possible.
Puis demandez à votre enfant
de reconnaître les formes qu'il voit de son lit.
Ensuite on allume et on compare.

Le MUET

«Dites » une phrase en articulant bien mais sans émettre le moindre son. L'enfant doit la deviner puis en proposer une autre. S'il ne trouve pas, ajoutez quelques gestes.
On peut ainsi se fabriquer soir après soir un recueil de gestes communs connus simplement de vous deux.
Un vrai langage d'amoureux !

À l'aide d'un petit magnétophone,
enregistrez avec votre enfant
les bruits de la maison sur une cassette.
Le soir avant de s'endormir,
l'enfant doit les reconnaître.
– *Écoute, petite souris,*
Qui fait ce drôle de bruit ?
De même, si vous allez
dans une ferme, à la mer ou au zoo,
vous pouvez ensemble enregistrer
les bruits qui vous entourent.
Le soir, il suffira de réécouter et
de reconnaître, par exemple,
les cris des animaux !

Écoute la maison

Qui passe ?

Posez une lampe derrière un drap tendu
dans l'encadrement d'une porte.
Proposez des jeux d'ombres.
Faites passer des jouets connus et demandez-lui :
– *Lequel de tes jouets passe ?*
Découpez des personnages dans du carton,
puis racontez une histoire.
Vous pouvez aussi créer des animaux en ombres chinoises
avec vos mains avant de lui montrer comment les réaliser.

Le meilleur PROFIL

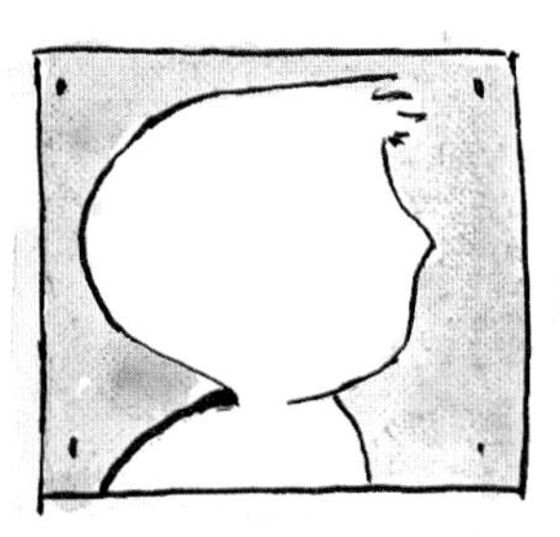

Tendez une grande feuille entre deux supports, deux chaises par exemple. Placez l'enfant entre une lampe et la feuille et dessinez l'ombre de son profil droit ou gauche, de sa main, etc. L'enfant colorie les ombres et les affiche.

STAR

Les étoiles sont aussi une mine
de découvertes.
On peut bien sûr chercher
la grande ourse, à la forme
caractéristique de casserole
ou Vénus, également appelée l'étoile
du berger. Pourquoi ne pas imaginer
qu'un petit extraterrestre nous regarde
aussi !...
Quant à l'étoile filante,
elle permet aux esprits rapides
de réaliser mille souhaits !

DAME LUNE

Un jour de pleine lune,
sortez de la maison et
demandez :
– *Vois-tu les yeux de la lune ?*
Et le nez ? Et les rides ?
Une bonne occasion
pour raconter les mille et
une histoires de dame Lune.

BONNE NUIT MON CORPS

POUR S'ENDORMIR IL FAUT SE LAISSER ALLER,
ÊTRE LÉGER, BIEN DANS SA PEAU.
VOICI QUELQUES PETITS JEUX TENDRES OU DRÔLES
PERMETTANT DE DÉCOUVRIR SON CORPS,
DE LE DÉTENDRE, DE LE LAISSER SE REPOSER.

Ouistiti

Une comptine à fredonner gaiement pour se chatouiller avec les mots… et les mains ! L'enfant invente les mots et vous trouvez le « poil » correspondant en chatouillant l'endroit cité !

Astata
Poils au bras
Ostoto
Poils au dos
Estété
Poils au nez
Oustoutouille
Vive les chatouilles !

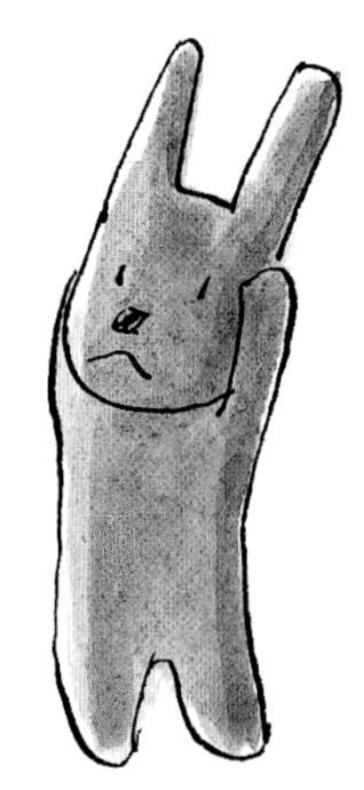

Le beau miroir

Expliquez :

– *Tu es un miroir.*

Tandis que vous commentez :

– *Je lève le bras, je pince mon nez, je bâille…*

L'enfant doit reproduire vos gestes.

Lulu

Commencez la comptine ainsi :
– *Connais-tu Lulu qu'a le doigt dans la bouchu ?*
L'enfant répond :
– *Oui je connais Lulu qu'a le doigt dans la bouchu !*
en faisant le geste !
Ensuite reprenez la comptine en rajoutant
une proposition comme, par exemple :
– *Connais-tu Lulu qu'a le doigt dans la bouchu...*
et la main sur la têtu.
L'enfant reprend cette interminable comptine...

LA PETITE FOURMI

Le jeu de la petite bête amuse beaucoup les petits.
Votre main démarre du sol et poursuit son aventure.
– L'araignée Inès se presse, se presse ! L'attraperas-tu ?
Zou ! Elle a disparu !
Arrivée à la bouche, la main araignée est happée par l'enfant !
– Oh, qui a avalé l'araignée pressée ?

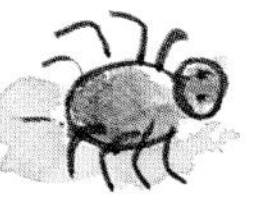

Chut

Chut

Une comptine à mimer

Chut !
Le lapin Néron
Dort
Dans sa maison
Chut !
Le poisson Martial
Dort
Dans son bocal
Chut
L'oiseau Félicie
Dort
Dans son nid
Chut ! Tout le monde dort
Il fait noir dehors !

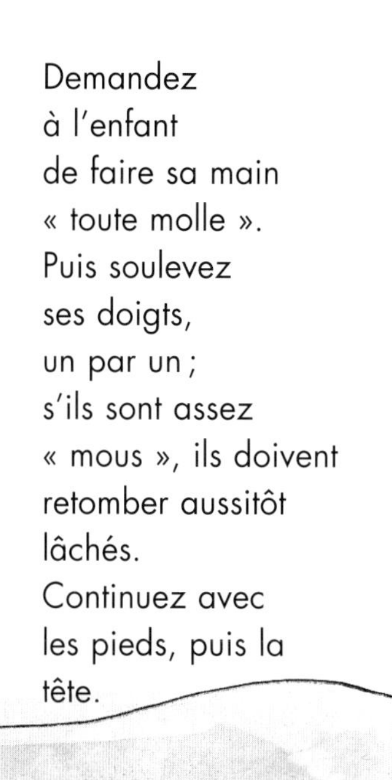

Demandez
à l'enfant
de faire sa main
« toute molle ».
Puis soulevez
ses doigts,
un par un ;
s'ils sont assez
« mous », ils doivent
retomber aussitôt
lâchés.
Continuez avec
les pieds, puis la
tête.

TOUT MOU

STATUE

Créez une statue avec le corps de l'enfant.
Puis éloignez-vous et exclamez-vous, tel un artiste satisfait de sa création :
Oh la belle statue !
m'entends-tu ?
bougeras-tu ?
parleras-tu ?
riras-tu ?
5, 4, 3, 2, 1, 0
Bravo !
L'enfant n'a pas bougé, il est bien une statue « professionnelle ».
Ensuite, si le corps vous en dit, inversez les rôles.

Caressez votre petitou en disant la comptine.
L'enfant, lui, se trémousse en produisant le cri de l'animal.

– Petit chat,
je te caresse le ventre
– Rron
– Petit chien,
je te caresse le dos
– Oua oua oua !
– Petit cheval,
je te caresse la crinière
– Iiih
– Petit canard,
je te caresse le bec !
– Coin coin
Mais toi petit loup,
je te chatouille partout !
– Hou !

À ce moment, l'enfant essaie d'attraper
cette main un peu trop taquine !

Chatouillis

LE ROI soleil

Un jour où vos amis sont là
et que votre enfant n'a pas envie
d'aller se coucher, il peut être
astucieux de tous l'accompagner
en déclarant :
– *Oyez, oyez, braves gens,*
le Roi Soleil va se coucher maintenant.
L'enfant s'assoit sur son lit, se met
une couronne puis royalement
fait des gestes, bâiller,
lever un bras, etc.
En chœur, les invités du coucher
du roi s'exclament :
– *Oh, le Roi Soleil bâille !*
Oh, le Roi Soleil se gratte le nez… etc.

L'ARbRE

Dites :

– *Le petit arbre grandit.*

L'enfant se lève doucement.

– *Il a une branche, deux branches.*

L'enfant déploie lentement ses bras.

– *Tiens, au bout des branches,*
poussent les feuilles 1 2 3 4 5.

L'enfant déploie ses doigts !

Puis vous lui posez des questions auxquelles il répond dans un souffle.

– *Comment t'appelles-tu, arbre ?*

– *Que manges-tu ?*

etc.

Araignée du soir

Un jeu de doigts qui fait
« un petit peu très » peur.

Devine qui vient te dire bonsoir ?
C'est la p'tite araignée noire.
Elle sort une patte et dit :
– Attention !
Une autre :
– Gare à toi !
Une autre :
– Tu vas voir !
Une autre :
– Courage !
Et la dernière…
– J'arrive !
Devine qui vient te dire bonsoir ?
C'est la p'tit'araignée noire
Qui va te faire un gros bisou…
Où ?
Dans le cou !

En récitant cette comptine, vous montrez votre poing puis dépliez un à un vos doigts. Quand les pattes sont dépliées, la main-araignée remonte sur le corps de l'enfant.

LE déluge

Racontez :

– Il pleut dans ta chambre.
La pluie tombe doucement ;
Vous tapez en rythme rapide un doigt dans l'autre main.
L'enfant vous imite en prenant l'air affolé !
– De plus en plus.
2, 3, 4 doigts, puis la main !
– C'est l'orage !
L'enfant applaudit à tout rompre !
– Vite, rentre à l'abri
sous ton parapluie !
L'enfant se cache sous le drap.
– L'orage est passé,
on peut aller se coucher !

Une comptine pour jouer avec ces pieds
si malmenés pendant les longues journées.

– *Petits pieds, petits pieds,*
Vous avez bien marché.

Faites « pédaler » les pieds de l'enfant en rythme.

– *Petits pieds, petits pieds,*
Vous avez gagné !

Faites applaudir les pieds.

– *Petits pieds, petits pieds*
vous avez bien rigolé !

Chatouillez la plante des pieds.

– *Petits pieds, petits pieds,*
Vous allez vous coucher,

Caressez, câlinez les pieds.

– *Petits pieds, petits pieds,*
Mais avant, je vais vous embrasser !

Embrassez le pied bien « fatigué » !

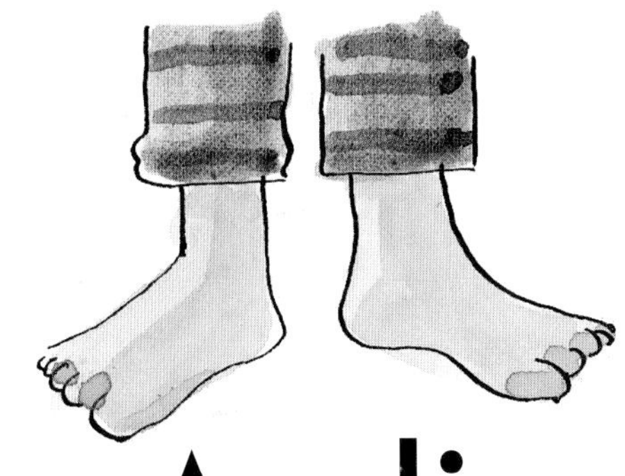

Au lit les pieds

Rêve vole

Un jeu d'expression
corporelle relaxant.
Demandez à l'enfant
de s'étendre et de fermer
les yeux, puis racontez :
Tu te fais léger, léger
puis tu t'envoles…
Tu te poses doucement
sur un nuage doux, doux…
Le vent te pousse et te rapproche
du soleil…
Il fait chaud, si chaud…
que tu t'endors.

ENCORE UN CÂLIN

LE DERNIER CÂLIN, LE DERNIER BISOU
EST CELUI QUI DIT "C'EST FINI"
MAIS AUSSI : "JE T'AIMERAI POUR TOUJOURS".
UN DERNIER BISOU
COMME UN POINT D'ORGUE !

Dodo dada

Chantez-lui la berceuse :
"Dodo, l'enfant do".
Puis essayez ensemble
de changer les voyelles :
– *Dada, l'afa da...*
Didi, l'ifi di

– Do ré mi fa sol la si do...
Grat'moi la puc'que j'ai dans l'dos
Si tu l'avais grattée plus tôt
Elle ne s'rait pas montée si haut
Dans l'...
Do ré mi fa sol la si do
Regarde la puce qui vient te dire "dodo" !
Un jeu de chatouilles très apprécié.

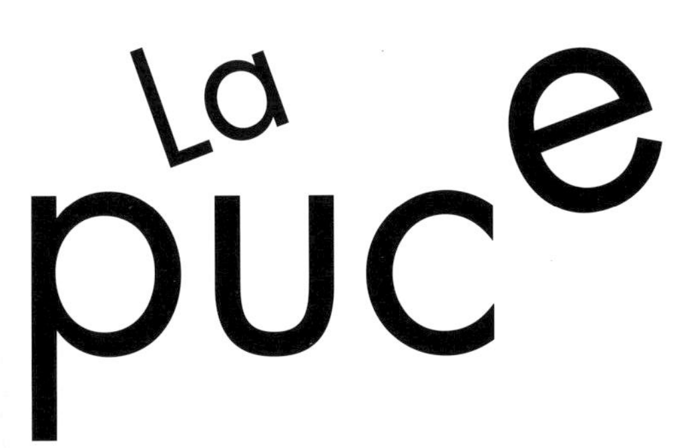

Bisous de COCOTTE

Racontez en faisant les gestes appropriés avec votre pouce et votre index formant une pince :

– Tous les animaux d'chez nous
Sont v'nus te faire un bisou !
Bisou de cocotte
Qui picote qui picote
Bisou de crabe
Qui pinçote qui pinçote
Bisou de chat
Qui griffote qui griffote
…
– Oh là là que de bises !
J'en ai tout plein ma valise
Au revoir les amis
Je vais passer une bonne nuit.

L'ASCENSEUR

Papa, ou maman,
est sur le dos,
jambes pliées.
L'enfant monte
sur ses jambes
– *Attention appuie*
sur le bouton
et l'ascenseur
démarre !
L'enfant appuie
sur votre nez et
petit à petit,
les jambes
se déplient.

BOUGIES

L'enfant montre sa main,
doigts écartés.
Dites :
– *Il y a cinq bougies.*
J'en souffle une…
Il replie un doigt.
– *Deux…*
Trois…
Quatre…
Cinq.
Tout est noir, ici !
Bonne nuit mon chéri !

LE JEU DE LA VÉRITÉ

Les enfants ont du mal à raconter leur journée.
Faites des propositions plus ou moins absurdes desquelles il devra démêler le vrai du faux !
Puis l'enfant proposera à son tour des situations plus ou moins abracadabrantes.
Un jeu malin pour apprendre beaucoup de choses !

La tempête

L'enfant est assis sur le ventre-bateau
de papa ou de maman couchée.
– Attention moussaillon,
la tempête arrive !
Tiens-toi bien, on coule !

Madame PATATE

Un jeu utile pour désamorcer une soirée tendue.
Piquez une fourchette dans une pomme de terre.
Enfoncez deux clous de girofle pour les yeux
et creusez la bouche.
Mettez-la pomme de terre dans un tube en carton
en la manipulant grâce à la fourchette.
Au moment du coucher, elle montre sa tête…
et pose des questions rigolotes auxquelles l'enfant
doit répondre très poliment.
– *As-tu bien fait des bêtises aujourd'hui ?*
– *Oui madame Patate !*
etc.
Puis, au bout de quelques questions,
fâchez-vous tout rouge :
– *Madame Patate,*
assez de sottises !
Rentrez chez vous !
You !
Et hop elle retourne dans son tube.
Ce personnage peut se prêter à de nombreuses histoires, surtout
s'il est accompagné par madame Carotte et monsieur Poireau !

HIBOU

Nez contre nez, yeux grands ouverts, vous dites la formulette :

Regardons-nous
Hibou.

Le premier qui rit perd.

Afin de parler, de se dire ses secrets du soir.
Demandez à l'enfant :
– *À quoi penses-tu ?*
Il dira par exemple : – *Je pense à grand-mère.*
À votre tour, dites : – *Grand-mère me fait penser à chien.* Il continue : – *Chien me fait penser à os… os à dinosaure,* etc.

SECRETS

Soufflez délicatement
le secret au creux de son oreille.
À lui ensuite de vous dire le sien.
– *Écoute le vent*
il va te dire
un secret,
un secret tout blanc !
Ne le répète jamais !

FIN

Imprimé à Singapour.
Dépôt légal octobre1997 ; D1997/0053/223
Déposé au ministère de la Justice, Paris
(loi n°49.956 du 16 juillet 1949 sur les publications destinées à la jeunesse).